Ayudar al medio ambiente

Ahorrar agua

Charlotte Guillain

Heinemann Library

Chicago Illinois

Customer Service 888-454-2279

Visit our website at www.heinemannraintree.com

Picture research: Erica Martin, Hannah Taylor and Ginny Stroud-Lewis
Designed by Philippa Jenkins
Printed and bound in China by South China Printing Company.
Translation into Spanish by DoubleO Publishing Services

12 11 10 09 08
10 9 8 7 6 5 4 3 2 1

ISBN-10: 1-4329-1870-2 (hc) -- ISBN-10: 1-4329-1876-1 (pb)
ISBN-13: 978-1-4329-1870-5 (hc) -- ISBN-13: 978-1-4329-1876-7 (pb)

Library of Congress Cataloging-in-Publication Data

Guillain, Charlotte.
  [Saving water. Spanish]
  Ahorrar agua / Charlotte Guillain.
      p. cm. -- (Ayudar al medio ambiente)
  Includes index.
  ISBN 978-1-4329-1870-5 (hardcover) -- ISBN 978-1-4329-1876-7 (pbk.)
  1. Water conservation--Juvenile literature. I. Title.
  TD495.G8518 2008
  333.91'16--dc22
                                 2008016064

Acknowledgments
The publishers would like to thank the following for permission to reproduce photographs: ©Alamy pp. **16** (Bjanka Kadic), **4 bottom left** (Kevin Foy), **17** (Keith M Law), **4 top right**, **23** (Westend 61); ©ardea.com pp. **19** (Jean Michel Labat), **15** (Mark Boulton); ©Brand X Pixtures pp. **4 bottom right**, **21** (Morey Milbradt); ©Corbis pp. **8**, **10** (Randy Faris), **9**, **12** (zefa, Grace); ©Digital Vision p. **4 top left**; ©Getty Images pp. **14** (AFP, Liu Jin, Staff), **13** (medioImages); ©Jupiter Images p. **22** (Polka Dot Images); ©Photoeditinc. p. **5** (Michael Newman); ©Photolibrary pp. **7** (Botanica), **11** (Image 100), **18** (Photoalto), **20** (Radius Images), **6** (Photodisc)

Cover photograph of tap reproduced with permission of ©Fancy (Punchstock). Back cover photograph of a boy washing up reproduced with permission of ©Corbis (zefa, Grace).

Every effort has been made to contact copyright holders of any material reproduced in this book.
Any omissions will be rectified in subsequent printings if notice is given to the publishers.

Contenido

¿Qué es el medio ambiente?

El medio ambiente es el mundo
que nos rodea.

Es necesario proteger el
medio ambiente.

¿Cómo usamos el agua?

Usamos el agua para muchas cosas.

Cuando ahorramos agua,
protegemos el medio ambiente.

Cómo ahorrar agua

Usamos agua para lavar los platos.

Ahorramos agua cuando cerramos
el grifo mientras lavamos.
Protegemos el medio ambiente.

Usamos agua para cepillarnos los dientes.

Ahorramos agua cuando cerramos el grifo mientras nos cepillamos los dientes. Protegemos el medio ambiente.

Usamos agua para lavarnos.

Ahorramos agua al ducharnos
en lugar de llenar la bañera.
Protegemos el medio ambiente.

13

Desperdiciamos agua si un grifo gotea.

Ahorramos agua cuando
cerramos un grifo que gotea.
Protegemos el medio ambiente.

Las plantas necesitan agua
para crecer.

almacena agua de lluvia

Ahorramos agua si almacenamos el agua de lluvia para regar las plantas. Protegemos el medio ambiente.

Una manguera usa mucha agua.

Ahorramos agua cuando usamos una regadera en lugar de una manguera. Protegemos el medio ambiente.

Podemos ahorrar agua.

Podemos ayudar al medio ambiente.

¿Cómo se ayuda?

¿Cómo ahorra agua este niño?

Respuesta en la pág. 24

Glosario illustrado

medio ambiente el mundo que nos rodea

Índice

Respuesta a la pregunta de la pág. 22: Está lavando un automóvil con un balde de agua en lugar de usar una manguera.

Nota a padres y maestros

Antes de leer
Hable con los niños acerca de todas las maneras en que usamos el agua (para beber, lavar, comer, regar las plantas, etc.). Explique que en muchos lugares del mundo las personas no reciben agua potable a través de un grifo en sus hogares. Es necesario que ahorremos agua y no la desperdiciemos.

Después de leer
• Dibuje un corte transversal de una casa y divídala en habitaciones, en la planta alta y baja. Rotule cada habitación: baño, dormitorio, cocina, sala. Pida a los niños que piensen en diferentes maneras en las que pueden ahorrar agua en cada habitación (p. ej., baño: cerrar el grifo mientras se cepillan los dientes).